KB077116

나팔꽃 나자

나팔꽃 나자

발　행 | 2024년 2월 20일
저　자 | 5959비스켓
그　림, 표지디자인 | 주원
펴낸이 | 한건희
펴낸곳 | 주식회사 부크크
출판사등록 | 2014.07.15.(제2014-16호)
주　소 | 서울특별시 금천구 가산디지털1로 119 SK트윈타워 A동 305호
전　화 | 1670-8316
이메일 | info@bookk.co.kr

ISBN | 979-11-410-7292-6

www.bookk.co.kr
ⓒ 나팔꽃 나자 2024
본 책은 저작자의 지적 재산으로서 무단 전재와 복제를 금합니다.

나팔꽃 나자

5959비스켓 지음
주원 그림

CONTENT

프롤로그 - 너는 누구니?

세상의 모든 아이는 존중받고 사랑받아야 합니다. 그가 어디서 왔든, 어떤 경제적 상태이든, 어떤 언어를 사용하든지 조건 없이 말입니다. 저는 외국인 학생들을 위해 중학교에서 한국어를 가르치고 있습니다. 대부분 중앙아시아 국적을 가지고 있으며 고려인 학생입니다. 우리와 외모가 같고 같은 역사를 공유하고 있어서 정말 친밀할 것 같았는데 오랜 시간의 차가 서로 다른 언어를 사용하게 하였고 생각의 방식도 다르다는 것을 알게 되었습니다. 그런 아이들을 이해하는 데 정말 긴 시간이 걸렸으며 이 책을 쓰고 있는 지금까지도 그들과 함께 나아가는 여정에 있습니다. 이해의 과정에서 조그만 힌트라도 생기면 기록해 두었습니다. 아이들의 생각도 정리해서 이렇게 소박하고 아주 부끄러운 글을 내봅니다. 귀 기울여 듣지 않으면 정말 들리지도 않을 바람의 소리입니다. 신경 쓰고 귀 기울여야만 비로소 조금씩 들립니다. 선생님들이 이 글을 읽고 조금이나마 아이들을 이해하는 데 도움이 되었으면 합니다.

저는 아이들이 웃을 줄 모르는 사람인 줄 알았습니다. 내가 너를 돕기 위해 여기 있다고 아무리 말해도 마음으로 와닿지 않으면 웃어 주지 않습니다. 긴 기다림 끝에 가끔 한 번 보는 아이들의 웃음은 얼마나 아름다운지 기다려 본 사람만이 알 것입니다. 현장에서 외국인 친구들에게 한국어를 가르치고 한국 사회에서 그들의 성장을 돕는 선생님들에게 이 글이 조금이나마 위로와 도움이 되기를 바랍니다. 이 글에 나오는 이름은 실명을 썼지만, 가끔 민감한 부분은 가명을 사용하였음을 밝힙니다.

제1화 아이들에게서 배우다

흥미로운 퍼즐

세상에 일어나는 우연은 없나 보다. 이 학교에 오기 전에 다른 학교에서 다문화 학생들을 맡아 운영해 달라는 제안을 받았었다. 듣기만 해도 어려워 보이기도 했지만, 인연이 닿지 않았었다. 우리 학교에 와서 다문화 학생들을 교육하는 부서장을 맡으면서 든 생각은 캐나다에서 이방인으로서 영어 공부를 한 적이 있어서 언어 학습에 도움을 줄 수 있다는 막연한 자신감이 있었다. 제 1언어와 제2 언어 학습의 차이점도 이해하고 있었고 제2언어 습득의 어려움을 절감해 본 적이 있어서 머릿 속에서 계획이 있었다. 하지만 완전히 나의 망상이었다.

내가 아는 것을 적용해 나가면서 실패의 요인을 분석할 때마다 인지적 요소보다는 비인지적 요소들의 작용이 있었음을 알게 되었다. 정말 하나하나 퍼즐을 맞추면서 '아하'의 순간들이 있었고 매 번 다시 계획을 수정하면서 아이들을 가르치고 있다. 앞으로 이 친구들에게 내가 줄 수 있는 것들이 무엇인지 흥미롭고 기대가 된다. 인생은 모든 순간이 퍼즐이다. 다 필요한 퍼즐들이고 어느 한 조각도 버려져서는 안 된다. 그 잃어버린 퍼즐 하나 때문에 완성되지 못하는 작품이 있으므로 나는 매일 매일 감사하면서 일어나는 일을 있는 그대로 받아들이고 있다.

오늘의 수업 주제는 '사회화'를 배울거야

종일 상상의 세계에서 사는 아이들은 규칙과 규범과 상관없이 행동할 때가 많다. 때로는 사회화된다는 이유로 타인과 조화롭게 살기 위해 나다운 것을 숨기거나 버려야 할 때가 있다.

중학교 1학년 남학생들을 상상해 보라. 무엇이 즐거운지 수업 시간에 시시덕거리면서 웃고 조그만 물건들을 던지고 아직 사회화가 덜 된 상태이면서 동시에 무한한 상상력을 보이는 시기이다. 어쩌면 교사들에 의해 상상력이 밟히는 게 아닌가 싶기다 하다. 사회화가 덜 된 행동이 가끔 너무 싫으면서도 이 친구들에게 동화돼서 같이 놀 때, 나도 즐거울 때가 있다. 때로는 발칙한 아이디어를 제시할 때면 받아줘야 하는지 혼내야 하는지 어이가 없을 때가 있다. 그냥 즐기면 웃긴 일이 되는 거고, 가르치려 들면 혼나야 하는 일이라 경계에서 교사로서 고민할 때가 많다.

오늘 다문화 학생들에게 '사회화'의 의미를 가르치면서 참 어렵다고 느꼈다. 한국 사회에서 살아가면서 학교 사회화의 학습은 중요한 문제라 정확하게 가르쳐 주고 싶었다. 다양한 관계 속에서 지켜야 할 규범과 규칙을 알려주어야 해서 아주 사소하게는 담임 선생님과 대화 하는 법, 약속을 지켜야 하는 이유 등등, 아기 키우듯이 하나하나 다 알려주고 설명했다. 아이들이 순수함도 간직했으면 좋겠고 동시에 함께 살기 좋은 영악함도 지닌 아슬아슬한 사회화의 경계에 잘 서 있었으면 좋겠다. 참 너무 큰 욕심이다.

그러면서 다시 한번 나 자신의 사회화는 잘 되어 있나 돌아보게 된다. 다른 사람들에게 나는 '함께 하기에 행복하고 좋은 사람'일까 곱씹어 보게 된다. 한국어를 가르치다 보면 이렇게 매번 가장 기본적인 단어들의 의미에 대해 생각할 기회를 얻게 되어 참으로 감사하다.

바보천사 올가

“부장님, 아미가 한국어 학급에 이제라도 들어가면 안될까요?”

“왜요? 무슨 일인데?”

“아미는 한국어 공부가 싫다는데 그래도 공부하라고 자꾸 제가 말했어요. 그래야 공장 다니는 아빠도 덜 걱정시키고 너도 한국에서 살 수 있다고 말했어요.”

“왜 그렇게 신경 쓰는 거야?”

“제가 대신 엄마 해주고 싶어서요. 아미는 엄마가 없어요. 저는 많은 아이들을 키워봐서 잘 돌봐줄 수 있어요.”

뭐야? 올가쌤은 천사인거야? 아무리 어려워도 세상은 항상 천사가 존재하던데 이제 보니 올가 쌤은 천사인가 봐.

아미, 올가 쌤이 너를 얼마나 사랑하는지 넌 알아야 해. 주변에는 널 돌봐주고 걱정하는 선한 사람들이 많단 말이야. 머리를 쓰다듬는데 금방 깎은 아미의 뒷통수가 말랑말랑하고 짧은 머리털이 부드럽게 느껴진다. 엄마가 있었으면 더 많이 쓰다듬어 줄 텐데.

나팔꽃 나자

“나자 한국 생활 어때?”

“슬퍼요.”

“왜?”

“몰라요.”

아이들에게 제일 많이 듣는 말이 '몰라요'이다. 처음에는 그 뜻을 정말 문자 그대로 받아들였다. 6개월이 지나서야 알게 되었다. 그 뜻은 '당신과 이야기하고 싶지 않아요'였다.

'이런, 아직도 깜깜한 밤을 걷고 있구나.' 해가 뜨면 금방 환하게 필 예쁜 나팔꽃일 텐데, 지금은 완전 꽃잎을 쪼그려 놓았네. 회색 후드티 뒤집어쓰고 긴 앞머리로 가리고 마스크 속에 숨었어.

질서와 혼돈

"자꾸 자리 이탈한 친구는 뒤로 나갈거야~ 지민이 안 되겠다. 잠시 뒤로 나가 있자."

"뒤로만 나가라고 했지 서 있으라고 하지 않았으니까 나는 누워야지." 너무 신나고 능글맞게 교실에 드러눕는다. 교실의 질서를 유지하려면 교사의 권위가 있어야 하는데 교사의 권위라고는 닭의 깃털보다 더 가볍다. 툭하면 교육청 신고한다, 아동학대다, 정말 입을 꾹 다물게 만든다. 기존의 질서를 존중하게 가르치고 앞으로 맞이할 혼돈의 시대에 지혜를 가르치는 것이 교사의 역할이라고 생각하는데 나는 지금 무엇을 하고 있나? 챗 GPT가 더 잘 알고 있는 인지적인 내용만 반복하고 인성은 무시해야 하나? 아이쿠야 외국인 친구 가르치는 교실도 만만치 않은데 한국인 친구를 가르치기도 여전히 어렵다.

블린

아침 일찍 혼자 앉아 있는 교무실에 문을 삐쭉하게 열고, 야나가 들어온다.
"선생님 제가 이거 구웠어요."
"음~ 이게 뭐야?"
"러시아 음식인데 블린이예요. 잼을 발라서 먹으면 더 맛있어요."
"그래? 와 ~ 잘 먹을게 고맙다."
아이들과 베이킹 클래스를 여러 번 하다 보면 늘 목격하게 된다. 빵 만들 준비를 하면서 손으로 이것저것 만지작거리고 여학생들은 특히 머리를 자주 만져서 아이들이 만든 빵은 절대 먹고 싶지 않다. 그래서 야나가 직접 만들었다는 블린 빵을 내밀었을 때, 크게 기대는 없었다. 점심시간이 되어 다른 여러 선생님들과 점심식사에 야나의 빵을 펼쳐 놓으면서 같이 먹었다.
'잉, 생각보다 너무 맛있어. 이게 뭐지?'
다시 한번 인터넷을 뒤져본다. 아 블린이 크레페랑 비슷하구나. 맛도 있네. 맨날 한국어를 배우면서 어려운 부분이 나올 때마다 고집부리면서 회피하는 모습에서는 어린애 같더니 선생님이 한국어 가르쳐주셔서 감사하다면서 블린을 구워온 거다.
'그래 고맙다 야나야~ 나도 또 하나 배웠다. 블린이라는 빵에 대해서.'

세상은 나를 중심으로 돈다

5월 31일 아침 불쑥 슬리퍼 신은 아빠와 딸이 들어온다. 우리 학교에 재적을 두고 한국어를 심도 있게 가르치는 학교로 위탁을 보내달라고 한다. 한국어가 미숙한데 중도입국한 중3 친구들은 보통 위탁학교에 가고 싶어 한다. 그래야 다문화 학생들 사이에서 공부하고 좀 더 나은 성적이 나와서 고입 진학을 위한 성적 산출에서 조금 유리하기 때문이다. 오늘 위탁 처리 관련 전화를 하면서 위탁학교에서는 지금 당장 그 학생을 받을 수 없고 거의 4주가 지난 뒤에 그 학생을 받을 수 있단다. 그러나 나는 바로 그 학생이 위탁 학교에 가야하는 이유에 대해 계속 설명했다. 자신이 맡고 있는 업무 매뉴얼 또는 입장만 되풀이하다가 위탁을 받는 학교의 지침대로(언제나 고무줄일 수 있다) 따르기로 하고 전화를 끊었다. 전화를 끊고 나서 불편한 마음은 뭘까? 물론 절차도 중요하고 지침을 따르는 것도 중요한데, 본교에 한국어 학급이 있고 한국어 학급 담임에다 시간제 기간제 교사까지 있는데 굳이 위탁을 서두르지 않아도 되지 않냐는 말을 들으면서, 불쾌한 구박까지 들은 것 같아서 마음이 불편했다. 데일 카네기 인간관계론에 이런 말이 나온다. “다른 사람의 관점을 가지고, 당신의 관점뿐 아니라 그 사람의 관점에서 사물을 보도록 하자.” 그 사람의 입장은 이해가 충분히 된다. 그래도 힘든 하루다.

도덕성과 염치

“우리 부서에서 이번 주까지 다문화 학생들 댄스단원이 될 수 있도록 학교장 추천 빨리 진행하는 것이 좋겠죠?”

"네네, 아이들 옷 사이즈하고 신발 사이즈 교실에 올라가서 조사해서 오후에 공문 발송할게요."
"네, 감사합니다."
교장선생님께서는 다문화 학생들이 댄스를 전문적으로 3년만 배워도 자기 진로에 큰 도움이 될 거라며 참 기뻐하신다.
"그러게요~ 아이들이 빠지지 않고 잘 참석했으면 좋겠어요."
여기 계시는 선생님들께서는 아이들을 위한 뿌듯한 일을 했다는 생각에 어깨가 으쓱해진다. '나 이렇게 애쓰고 있단 말이야.'
잠시 후 점심시간에 학생들이 삼삼오오 짝을 지어 연수나래실로 들어온다. 같은 언어를 사용하는 외국인 학생들은 수업 시간에 말하지 못한 스트레스를 연수나래에 모여서 잡담하거나 카드놀이를 하면서 풀어낸다. 아이들 손에 급식 시간에 나눠준 아이스크림이 있길래 깜짝 놀라는 표정을 지으면서(가끔 와서 놀다가 먹던 음료나 과자 껍질을 두고 가거나 아이스크림을 바닥에 흘려놔서 손에 들고 있는 아이스크림만 봐도 심란하다.)
"얘들아 자주 와서 쉬고 일주일에 한 번 청소해 줄 수 있어? 여기는 청소 당번이 아무도 없어서 그래." 대답도 하지 않고 러시아말로 뭐라고 하더니 슬그머니 나가버린다.
'내가 무리한 부탁을 한 거야, 맞아.'
이게 내 정신 건강에 이롭다. '내가 매일 너희들을 위해 뛰고 있어' 이런 생색내는 마음은 언제쯤 불쑥 안 튀어나올까. 이건 그냥 내 일이다, 내 일.. 애들에게 염치를 기대해서는 안 되는 거야. 염치는 일정 수준의 도덕성에서 나온다. 매일 한국어 가르치기에도 바쁜데 언제 도덕성 교육을 해.

이중언어말하기 대회

더 이상 모노컬쳐는 찾아보기 힘들다. 이중언어말하기 대회를 하면서 다양한 나라의 친구들이 2개의 언어를 말하는 능력을 평가하는 대회를 가졌다. 심사위원 선생님에는 러시아어 샘, 중국어 샘, 영어 원어민 샘, 한국어 샘 그리고 2명의 한국인 영어 샘, 몽골에서 살다 오신 교수님 등 다양한 심사위원이 이중언어말하기 대회를 심사하는 장면을 지켜보면서 한국이 많이 바뀌었고 교육 현장도 많이 바뀌었구나! 실감한다. 새로운 문화를 받아들이고 새로운 삶의 모습을 만들어가는데 열린 태도가 많이 필요하겠다는 생각이 들었다. 어제 이중언어말하기 대회에서 한 한국 학생이 자신의 발표가 끝났는데도 집에 가지 않고 마지막 학생의 발표 내용까지 끝까지 듣고 자리에서 일어나는 학생이 있었다. 하도 기특해서 왜 일어나지 않고 있었니? 물어봤다. 다른 사람들은 어떻게 발표하는지 궁금했다고 한다. 누가 가장 잘한 거 같아? 2학년 디아나 선배라고 말한다. 영어를 말할 때 고급 어휘도 많이 썼고 유창하게 이야기해서 깜짝 놀랐다고 한다. 아이들에게도 다문화학생들이 더 이상 도움이 필요한 사람이라는 인식보다는 능력 있고 괜찮은 사람들이라는 이해의 틀을 넓혀가는 시간이 되었길 바란다.

마시멜로 실험

얘들아 한국어 토픽시험 5급 이상 따두면 대학에 들어가는데 진짜 유리하대. 한국어 공부하자. 아무리 말해도 시큰둥한 친구들이 90% 이상이다. 왜 한국어 학급에 들어와 있지? 의심스러울 정도다. 단지 와서 같은 언어를 쓰는 친구들과 떠들 수 있고 장난칠 수 있는 편안한 공간이라서 오는 건가 싶다. 아무리 집중하라고 말해도 자제력 없이 장난치고 떠들고 나면 선생님들의 훈계가 이어지고 훈계가 끝나고 5분 정도 지나면 또 같은 일의 반복이다.

한때 마시멜로 실험에서 자제력이 삶의 과정에서 더 나은 성취를 얻는데 결정적 요소라는 이야기를 자주 들었다. 그러나 평균의 종말(토드 로즈)에서 보면 자제력은 개인의 본질적인 특성이 아니라 상황 맥락에 따라 달라질 수 있다고 이야기한다. 항상 불안하고 신뢰할 만한 환경에 노출되지 않은 아이들은 마시멜로가 주어졌을 때 언제 사라질지 모르는 이득에 대해 금방 입 안에 넣는 것이 가장 큰 이득이라는 것이다. 가정에서 얼마나 신뢰할 만한 환경에 놓여 있었는지가 자제력을 높이고 자기통제력을 갖는 데 중요한 발판이 된다는 이야기다.

교육 현장에 있으면서 100% 공감되는 말이다. 부모님이 안정적인 말과 행동으로 아이들의 정서에 얼마나 큰 안정을 주었는지도 낯선 한국어 공부를 하는데 큰 동기가 될 수 있겠다고 생각이 된다.

제2화 나에게 넌, 너에게 난

고마운 사람과 도움이 되는 사람

다문화 학생들의 학교 적응력을 돕기 위한 프로그램의 일환으로 베이킹 클래스를 동아리 시간에 개설했다. 1대1 매칭으로 한국 친구 한 명, 다문화 친구 한 명이 짝이 되어 빵을 만드는 과정이다. 슬슬 여름도 다 가오고 해서 더 새로운 빵을 만들 기회를 제공해 주고 싶어서 서울에서 전문가를 모셔서 제빵 관련 진로 직업 교육도 하고 '마쿠아즈'라는 아주 신박한 빵을 만들어 보았다.

보기에도 사랑스럽고 바닐라의 달콤한 향도 좋아서 정말 한 입 먹어보고 싶은 비주얼이다. 문제는 빵이 오븐에서 나온 이후에 한 팀에서 큰 소리가 났다. 마쿠아즈 한쪽이 없어서 1개가 완성이 안 된다고 어느 팀에서 가져갔는지 탐색하고 이리저리 소리 소리치면서 두리번거린다.

"아쿠야, 어떻게 선생님 한 입 드셔 보세요 하는 놈없이 이렇게 자기거 하나 없어진 것에 난리야."

내가 한 마디를 보탰다. 그 소리에도 아랑곳하지 않고 계속 자기 팩에 싸고 갈 빵 개수를 정확히 챙긴다. 나도 4개 이러면서. 심지어 사이즈를 크게 구워서 3개 밖에 안나온 팀도 파티셰 샘들이 샘플로 만든 것까지 자기 몫은 4개여야 한다면서 싹 챙겨간다. 파티셰 샘도 안타까운 눈으로 어쩔 줄 몰라 하다 한 마디 보태신다.

"어느 학교에 가나 다 그래요"

이러시면서 머쓱해하신다. 요즘은 웬만하면 중학교 교육프로그램이 무료여서 이렇게 비싼 교육프로그램에 고마운 마음은 아예 없나 보다. 하기야 사람들은 고마운 사람보다는 도움이 되는 사람을 찾고 그 도움도 끝나면 돌아서는 게 인간의 본능이다. 성공을 하는 사람들은 대부분 본능을 이기는 사람들인데 어찌하면 본능을 이기고 예의와 배려를 가르칠까, 큰 고민이다.

Cyberball 게임

세 사람이 공놀이를 한다. 이유 없이 한 사람에게는 공을 주지 않고 두 사람만 공을 주고 받는 실험을 한다면 그 시간이 짧은 2~3분 사이라 할지라도 사람들은 심한 슬픔과 분노를 느낀다. 집단 착각(토드 로즈) 책에서는 이를 사회적 추방이라 한다. 사회적 추방이나 배제를 당한 사람은 엄청한 스트레스를 겪고 이는 인간의 신경 반응 체계가 얼마나 사회적 배제에 약한지를 말해준다고 한다.

가끔 한국어 학급에서는 소수의 학생이 교실에서 공부를 하기 때문에 다수 학생이 모여 수업하는 교실보다 인간관계가 더 어려울 수 있다. 특정 친구들과 또래 그룹이 형성되지 못하면 다른 선택지가 없이 학기가 끝날 때까지 혼자 활동해야 하는 어려움을 벗어나기 힘들다. 왕따를 일부러 시키는 것도 아니고 미워하는 것도 아니고 아무 관심도 안 주는 것이다. 이러한 무관심은 사람을 무기력하게 만들고 몸을 병들게 한다.

똑같은 상황이 한국어 학급에서도 자주 발생한다. 3~4명의 친구들이 몰려 다니면서 한 친구가 한결같이 싫다고 말한다. 이 그룹의 아이들은 심지어 너무 힘들다고 호소한다. 이야기하기도 싫고, 같이 화장실에 가는 것도 싫고 교실에서 짝이 되는 것도 싫다고 노골적으로 이야기 한다.

아침에 학교에 오자마자 외면당하고 있는 학생 부모님께 전화를 받았다. 이러한 문제로 전학 가고 싶다고 다시는 우리 딸이 그 친구들과 마주치기 싫어한다고 호소한다. 정말 눈에 보이지 않는 불링을 해결하는 일이 교사로서는 가장 현실적으로 어렵다. 교실에서라면 다른 친구들에게라도 접근할 기회를 인위적으로 만들어 줄 수 있다면 소수 인원 학급에서는 기회가 없다.

교사 생활을 오래 할수록 논리적이고 능력 있는 사람이 되기보다는 친절한 사람이 되는 것이 훨씬 어렵다는 것을 알게 되었다. 그래서 친절한 사람을 키울 수 있도록 내 자신이 친절해지길 간절하게 기도를 자주 한다. 영악하고 자기 것을 야무지게 잘 챙기는 것도 필요하지만 나는 이제 친절한 사람이 제일 훌륭하고 아름다운 사람으로 느껴진다.

생각하기와 말하기

생각하고 있는 것을 다 말하는 것은 참으로 위험하다. 때로는 자기 검열에 실패해서 내뱉은 말이 주위 사람들을 당황하게 만들고 있음을 느낄 때가 있다. 최근 교실에서 수업에도 전혀 참여하지 못하고 일 년 내내 아무 말도 하지 않은 아이가 있어서 이런 학생이 있더라고 나는 아무 생각 없이 딸에게 말했다. 말을 하자마자 나는 딸에게 큰 주의를 받았다.

그런 말을 할 때는 정말 조심해야 한다고. 그 말을 함으로써 주위 사람들과 반복해서 그 의견을 주고받는 가운데 그 학생에 대한 나쁜 이미지가 형성되고 결국에는 학생 개인의 잘못으로 그런 사람이 된 것처럼 된다는 것이다. 학생을 돌봐온 부모의 잘못일 수도 있고 사회 시스템 또는 교육시스템의 허점도 있을 거라고 나는 덧붙여 말하면서 앞으로는 한 번 더 생각하고 말을 하겠다고 딸이랑 이야기를 마무리 지었다.

학교에서 학생에 대한 고민을 해결한다고 생각하면서 또는 아이가 처한 어려운 점을 이야기하면서 혹시나 인간에 대한 경멸을 나도 모르게 숨기고 있지 않았나 하고 반성해본다. 학생이 처한 상황과 그 상황을 그 사람 자체와 동일시하는 실수는 없어야 한다. 그러나 고백하자면 너무 많다. 좋은 선생님이 되기는 참 어려운 길이다.

시지프스의 형벌

교장 선생님께서 2학기에 진행할 한국어 학급 특별 프로그램을 논의해 보자고 하시면서 [미래 문제 해결 프로그램]을 소개해 주셨다. 해당 프로그램에 관해 설명할 교수님도 오시고 해서 전반적인 프로그램의 프로세스를 훑어보았다. 굉장히 좋은 프로그램인 걸 단박에 알겠다. 아마 고등학교에서 이 프로그램을 한다고 하면 학종 준비할 학생들이 벌 떼처럼 몰려올 만큼 괜찮아 보였다.

아휴 그런데 한국말도 잘 못 하고 어릴 때 모국어로 된 책도 많이 읽지 않아서 배경지식도 많아 보이지 않은데 영재들이나 참여할 만한 미래 문제 해결 프로그램이라니, 참 암담했다. 해야 하나 못한다고 거절해야 하나. 결국에는 다문화 친구들이 보고 배울 수 있을 만한 한국 친구들을 절반 정도 함께 참여시키면서 소통하는 과정의 시간을 만들기로 하고 프로그램을 진행하기로 했다.

때로는 나의 노력이 헛되이 아무 의미 없이 다시 떨어질 돌일 것을 알면서도 다시 그 돌을 묵묵히 올릴 때 제우스가 내린 벌은 벌이 아닌 것으로 생각했다. 아무 의미 없어 보이는 일을 계속해 나갈 때 의미가 생기지 않을까. 학교에서 제공하는 모든 활동이 당장은 의미 없고 결과가 나오지 않더라도 나에게 주어진 일을 묵묵히 말없이 해 봐야겠다. (그냥 오늘의 다짐일 수도 있어요..)

아픈 기억이 몸을 아프게 한다

한국어 수업에 들어가면 한국에 온 지 몇 년이 지나도 말문을 열지 않거나 한국어 배우기를 거부하는 친구들을 만나기도 한다. 같은 고려인들끼리는 즐겁게 놀다가도 교실에서 무기력하게 앉아 있거나 아예 배울 생각이 없는 친구들이 큰 고민이었는데 마침 기회가 생겨 연극심리치료프로그램을 수업 시간에 도입했다. 정말 간단한 프로그램들인데도 아이들의 속마음을 털어놓게 하는 멋진 프로그램이다.

하루는 그 수업을 담당하는 선생님께서 강사님께서 '니나는 항상 자신을 통제하고 억누르고 살았기 때문에 지금도 아프고 앞으로도 계속 아플 겁니다.' 이렇게 말했다고 전해왔다.

다문화 학생 중에는 많은 친구가 부모님이 한국에서 정착해서 데려올 때까지 3~4년 떨어져 있다가 부모님과 다시 만나고 그 과정에서 새로운 재혼 가정에서 살아가는 경우도 많다. 자신이 서서히 자연스럽게 받아들일 만한 시간 없이 완전히 낯설고 두려운 환경에 갑자기 놓였을 때 극도의 스트레스가 당연히 있을 거라고 짐작이 간다. 그러면 학교에 와서 정말 자주 아프고 결석하고 조퇴한다.

"그럼 우리는 어떻게 그 친구들을 도와줄 수 있어?"

"몸을 많이 쓰는 활동을 해야 한 대요."

우리가 도울 수 있는 것은 책상에 앉아서 한국어 단어와 문법을 가르치는 일보다 체험활동도 많이 하고 다양한 활동들을 만들어서 좋은 기억으로 친구들과 아주 즐겁게 수다를 떨 기회를 자주 주는 게 그 친구들이 건강하고 공부할 의욕이 생기지 않을까 생각이 든다.

고려인의 뿌리를 찾아서

작년에 담임할 때까지만 해도 단순히 다문화학생 또는 외국인 학생들이 우리 학교에 정말 많구나! 정도만 생각했다. 올해 다문화 학생들을 가르치면서 여러 사실을 새롭게 알게 되었다. 가장 무지했던 부분이 잊혀지고 있는 고려인의 역사에 대한 부분이었다.

우리 학교 외국인 학생의 99%가 국적은 다양하지만 모두 고려인이다. 그 사실을 알게 된 후 학생들과 역사의식부터 가질 수 있는 체험활동을 마련하고 싶었다. 인천개항장, 고려인 문화원, 서대문 형무소 등 근대 역사를 배우면서 왜 조선인들이 강제적으로 중앙아시아로 이주 됐는지를 학생들과 같이 공부하는 기회를 가졌다. 이런 공부를 통해서 아이들을 더 많이 이해하고 한국 사회에서 '나'를 이해하면서 정착하는 데 큰 도움을 주고 싶다는 생각을 자주 하게 되었다.

한국어 학급 학생들도 자기들 할아버지의 아버지 이야기를 들으면서 조금은 진지하게 변하고 있다는 것을 느낄 수 있었다. 고려인의 강제 이주 역사는 아득히 먼 이야기가 아니다. 아직도 아이들은 이유도 정확히 알지 못한 채 한국에 왔고 한국어를 배우기를 강요받고 있다. 부모님들은 너무 바빠서 아이들과 함께 미래를 이야기하고 꿈을 꿀 수 있는 환경이 아니다. 고려인의 역사는 현재 진행형이며 우리 모두 알아야 하고 함께 풀어가야 할 역사라는 생각이 든다.

존중하기

한국어 학급을 운영하면서 아이들의 성장에 신경 쓰고 교육하려고 하면 정말 더디게 성장하는 모습에서 지치고 힘들 때가 있다. 최근에 드는 생각은 '너를 있는 그대로 존중한다. 라마스테.' 학생들을 가르치는 것도 너무 중요한 데, 있는 그대로 바라봐 주고 그 아이의 장점을 키워주려고 노력하는 것이 아이들을 성장시키는 데 그나마 도움이 되겠다고 생각했다.

그런 생각이 들어서 오늘 수업에 자신의 강점 5가지를 생각해 보고 서로 인터뷰하기 수업을 진행했다. 수업 끝에 갑자기 아이들이 나의 장점 5가지를 말해주었다. 세상에 고맙기도 해라. 그래, 어차피 나도 모자란 사람이니 나의 좋은 점만 봐주고 잘 따라와 주었으면 해. 나도 너희들의 좋은 점만 보면서 존중하는 태도를 보이도록 노력할게.

자기 관리 능력

담임 선생님으로부터 전화가 왔다. "선생님 마크를 관리하는 게 너무 힘들어요. 연락 없이 학교 안 나오는 일이 너무 자주 있어요." 어제 아파서 조퇴했기 때문에 오늘은 연락 안 해도 당연히 선생님이 아파서 안 오는 걸 알 것으로 생각해서 오늘은 연락을 안 했다는 것이다. 아~~ 5초간 뭐라고 대답해야 할지 몰라 정적이 흐른다.

한국어 학급에서는 수도 없이 말하고 담임 선생님께 오늘 아파서 결석한다는 문자 보내기 연습도 자주 한다. 어떻게 이해시키면 좋을까? '네가 이렇게 자주 결석하면 고입 진학에도 부정적 영향을 미치고 너의 미래에 좋지 않아' 이런 말은 하등의 소용도 없다. 자기 행동이 미래에 어떤 영향을 줄지 예측이 가능한 전전두피질 중심의 인지 기능은 아직 중학생의 뇌에서는 바랄 수도 없는 상태다. 본능적이고 직관적으로 행동하고 자신이 원하는 상태가 되지 않으면 바로 분노하고 공격 성향으로 드러내는 편도체 신경망 중심 사고력을 보이는 중학생 아이들은 다루기가 만만치 않은데 한국말까지 안되는 학생들이다. 담임 선생님께 "예 알겠습니다. 다시 지도하겠습니다." 이렇게 말해도 사실은 속으로 깜깜하다.

특히 마크는 6학기 동안 한국어 학급에서 공부했지만 읽기, 쓰기는 어느 정도 되지만 듣기, 말하기는 아직 기초 단계다. 그에게는 한국어를 배우고 싶은 열정도 딱히 없고 동기도 없다. 한국어 학급을 운영하면서 매번 고민하는 주제이다. 비인지 능력들, 끈기, 집념, 동기, 회복탄력성, 열정 등을 키우는 프로그램을 어떻게 하면 자연스럽게 한국어 교육과 연계해서 수업에 녹일 수 있을까? 논문 주제 수준이다. '마크, 제발 힌트 좀 줘! 어떻게 해야 너를 도울 수 있는 거야?'

자기 이해 능력

아이들을 대하면서 깜짝 놀라는 점은 대부분의 학생들이 부모님들과 3~4년을 떨어져 살면서 어린 시절을 보냈다는 것이다. 부모님들은 한국에 정착하기까지 아이들을 데려올 수 없는 상황이다. 그 와중에 애착 형성이 된 아이들은 괜찮지만, 애착 형성이 되기도 전에 헤어졌다가, 다시 부모와 다시 만난 아이들을 자세히 보면 얼굴에 따뜻한 기운이 없다. 무표정하고 웃음기 없고 무기력까지 하다.

한국에 와서 부모님과 함께 살아도 부모가 걱정이 많고 일에 쫓겨서 짜증을 내거나 아이에게 무관심할 경우, 아이들은 정서적으로 불안하고 자신은 무엇을 해도 안 되는 무능력한 사람이라고 생각하게 된다. 이런 친구들은 자신이 무엇을 좋아하는 사람인지 무엇을 잘하는지 자기 이해 능력이 현저히 떨어지고 동시에 자기 관리능력도 떨어져 선생님들이 학교에서 하는 모든 지도에서 어려움을 겪고 있다.

어떤 형태의 수업(체험학습, 놀이학습, 러시아어 원어민 진로진학수업 등)을 준비해도 아무런 소용이 없다. 후드티 뒤집어 쓰고 잠잘 준비부터 하고 자리에 앉는다. 이런 아이들에게 한국어 문법과 유형, 읽기, 쓰기 시험이 뭐가 와 닿겠는가? 가장 먼저 인간관계와 정서학습(Social and Emotional Learning)이 우선하여 선행되어야 할 조건이라고 생각한다.

학업 성취를 하기 위해서는 자신과 타인의 감정을 이해하고 조절하는 능력, 그리고 타인과의 관계를 조화롭게 유지하는 능력 등 이런 능력이 있어야 학교의 교칙과 규율을 준수하면서 공부도 열심히 하고 개인적 삶의 목표도 세우지 않겠는가. 지금은 완전 자포자기인 학생들이 너무 많다.

그래서 올해 한국어 학급을 운영하면서, 비인지능력 교육에 가장 신경을 많이 써서 교육과정을 설계해 보았다. 다음에 나오는 'DOT: 점을 연결하라'는 한국어 학급 성과발표에서 내용을 정리해서 여러 선생님들과 공유했던 내용이다. 학생들이 빨리 몸도 건강하고 마음도 건강해져서 새로운 학업을 받아들일 준비를 하기를 바라는 마음에서 매 시간 수업이 행복하도록 준비하지만 늘 역부족인 게 사실이다. 내년에는 '행복수업'이라는 프로젝트를 준비 중이다.

끝없는 불링

학교폭력은 생각보다 무섭다. 교실에서는 아무리 보아도 괜찮은데, 뒤돌아서면 SNS에서 친구 뒷담화를 하고 패거리를 만든다. 뒷담화의 대상이 되는 다문화 학생의 경우, 한국 친구를 사귈 수 있는 한국어 능력도 안 되고 같은 나라에서 온 친구들과도 사귀기 어려울 때, 그 친구들은 스스로 목이 졸리는 느낌이라고 이야기한다. 같이 놀고 싶지 않으면 놀지 않아도 되는데 대놓고 "나는 네가 싫다."라고 꼭 말해야 할까. 같은 언어를 쓰는 소수의 학생이라 서로 도우면서 지낼 수 있을 것 같은데 오히려 자기와 비슷한 기질 또는 상황의 친구를 찾지 못하면 그 학생은 오랫동안 힘들게 외톨이로 지내야 한다. 이럴 때 어떻게 해야 할지 한국어 학급 담임들은 엄청나게 고민이 많이 된다. 다문화 학생들도 한국어를 배우는 것도 중요하지만 인성교육이 우선되어야 한다고 느낀다. 이 친구들을 위한 인성교육 프로그램이나 사회정서학습 지원을 내년도에는 생각해 보고 적용한 내용을 다시 여러 선생님들과 공유하고 싶다.

제3화 한국어학급 운영 사례

DOT: 점을 연결하라

부제: Do something reportable to others, Organize communities, Think context

연수중학교 다문화 학생 교육활동을 설명하면서 연수중학교를 둘러싼 인구학적 배경은 설명이 꼭 필요하지만, 간단히는 남동공단을 둘러싸고 있는 함박마을이 가장 두드러진 특색이라 하겠다. 지금은 함박마을의 러시아권 고려인 커뮤니티도 좁아서 지속해서 확장되고 있으며 연수역 주변의 상권과 주택가를 중심으로도 많은 러시아권 고려인들이 살고 있다. 우리 학교 412명의 학생 중 30%가 조금 넘는 125명의 학생이 다문화 학생들이고 그들 중 80%가 넘는 학생들이 러시아권에서 온 고려인 학생들이다. 연수중학교에서는 한국어 학급 3학급을 운영하면서, 담임교사 2명, 시기간제 교사 1명, 다문화언어강사 2명, 통번역강사 1명의 인력이 투입되고 있다.

개인적으로 2022학년도 학급담임을 했을 때 32명 학생 중 3명이 국내 출생 다문화 학생이었으며 9명이 외국인 학생으로 100% 고려인이었다. 지금까지도 가장 선생님들이 골머리를 앓는 것이 학생들이 수업 중 잠을 많이 잔다는 것이다. 선생님들이 자는 학생들을 깨우지 않으면 수업을 진행할 수 없는 게 비 다문화 학생들이 같이 자면서 대는 핑계가 "왜 저 외국인은 자게 내버려 두면서 나만 깨우냐, 왜 이리 차별을 하냐?"는 말도 안 되는 이유를 들이댄다. 이도 저도 다 내버려 두면 사실 7명 정도 데리고 수업해야 해서 꼭 깨워서 수업해야 하고 그 과정에서 일어나는 실랑이는 설명하지 않아도 미뤄 짐작이 가리라 생각이 된다. 또 한 가지, 생활 한국어가 된다고 하더라도 학습 도구 한국어가 안돼서 잠을 자기도 한다. 결론적으로 잠을 자는 두 가지 이유로 비인지 능력의 부족과 학습 도구 한국어의 부족으로 결론을 내리게 되었다. 이를 바탕으로 한국어 학급 운영 방향 및 운영 전략을 전개하기로 하였다.

* 어떠한 일에 대해 성취를 해낼 때 인간의 능력에서 인지능력보다 비인지 능력이 훨씬 중요하게 작용한다. 인지능력(사고력, 지식, 기억력, 문제해결력, 이해력)보다 비인지 능력(끈기, 열정, 소통능력, 회복탄력성, 과제집중력)이 부족한 학생들은 신체적으로도 아픈 경우가 많다.

Ⅰ. 한국어 학급 운영 방향

연수중학교 한국어 학급에 오는 학생들은 모두 러시아권 고려인이고 이들의 학교생활을 통해 보았을 때 잠을 자는 학생들의 뇌를 깨우기 위해 **체험활동 또는 프로젝트 중심 활동(Project-based activities)**을 하기로 하였다. 또한 비인지적 능력을 끌어올리기 위해 정서적 지원활동을 자연스럽게 수업게 녹일 수 있도록 하고, **학습도구 한국어를 전담으로 맡는 교사**를 두어 다양한 활동들은 녹여서 학습도구 한국어가 자주 노출될 수 있도록 하였다. 특히 한국어 학급 운영이 고립된 섬이 되지 않게 하려고 **다문화-비다문화 학생들이 함께하는 활동과 부서 간 연계** 활동을 하여 전 학교가 함께하는 다문화 교육이어야 하고 비다문화 학생들에게도 도움이 되는 활동이어야 전 공동체에 도움이 된다.

Ⅱ. 한국어 학급 수업 전략

한국어 학급 수업 전략으로 DOT(점을 연결하라)라는 슬로건을 만들어 보았다. 학생들이 서로 이야기할 주제나 이야깃거리를 제공하여 친구들끼리 이야기를 하거나 선생님께 지속해서 물어볼 수 있는 환경을 제공할 수 있는 프로그램이 필요하다고 생각하여 'Do something reportable to others' 슬로건에 맞는 프로그램을 생각했다. 그리고 다양한 프로그램을 만들 때 한국어 학급 교사들의 능력만으로는 할 수 없는 일이고 그런 능력을 요구해서도 안 된다고 생각해서 다양한 커뮤니티를 연결해서

(Organize communities) 수업 계획을 동시에 설계하였다. 이렇게 다양한 활동을 하고 나면 모든 수업에 자신이 경험한 이야기를 바탕으로 맥락을 생각하면서(Think Context) 한국어 수업에 참여할 수 있도록 하였다. 그래서 강의의 주제도 DOT(점을 연결하라)으로 정했고 부제를 Do something reportable to others, Organize communities, Think Context로 정했다.

Ⅲ. 수업 전략에 따른 수업 사례

1. 체험활동(Project-based activities)

다양한 지역사회 관계 기관 활용하여 도움을 받을 수 있다, 시교육청 사업 활용, 지역사회 도서관, 마을교육공동체, 그 이외 여러 기관에서 행사를 연계하여 프로젝트 기반 수업을 설계해 보았다.

1) 지역 도서관 활용: 한국어 학급 담임 두 분이 자유학기 주제활동을 각각 2시간씩 맡고 있어서 '이중언어 창작활동'과 '슬기로운 한국 생활' 이라는 주제로 다양한 체험활동을 설계하였다. 우선 지역 도서관을 활용하여 학생들이 이중 언어를 할 수 있다는 강점을 더욱 성장시킬 수 있도록 1학기 이중 언어 창작활동 시간에 한국어, 러시아어 2개의 언어를 활용하여 나만의 그림책 만들기를 하였다. 또한 놀이+예술+독서를 연계하여 독후 활동으로 한글 자막이 들어간 영상을 스톱모션으로 만들게 하였다. 어떤 친구들은 영어가 편해서 영어 자막과 러시아 자막을 넣은 학생도 있었다. 2학기에는 한국 동화를 러시아어로 번역하여 동화책을 만들고 함박마을 작은 도서관에 기증하는 활동을 하고 있다.

2) 인천 마을교육공동체(마을엔) 및 마을 시설 활용

자유학기 주제활동: '슬기로운 한국생활' 주제 활동에서 진로진학에 관련된 수업을 마을엔에서 진행해 보았다. 목공수업, 요리수업, 바리스타 수업, 가드닝 수업을 진행하면서 아이들의 실제 재능이나 관심을 관찰할 좋은 기회가 되기도 하였다. 실제 목공수업과 가드닝 수업 결과물은 학생들의 홈베이스로 사용되는 교실을 꾸미는 데 활용되기도 하였다.

3) 다양한 유관 기관 프로그램을 이어서 하나의 프로젝트 '고려인의 뿌리를 찾아서'를 진행함.

활용 커뮤니티	수업 설계방식	계획 시기 및 예산
지역도서관활용 (연수도서관)	자유학기 주제활동 1. 이중언어창작활동 -나만의 그림책 만들기 -놀이+독서+예술교육 -한국 동화 읽고 러시아 동화책으로 번역하고 그림을 그려 책 만들기 활동 해보기--> 활동 후 연수도서관과 작은 도서관에 기증	1, 2월에 연수 도서관예산+진로비전캠프 예산 활용하여 1,2학기 각각 10차시
인천마을교육 공동체(마을엔)	2. 슬기로운 한국생활 -마을엔: 목공수업, 요리수업, 바리스타	2월에 마을엔에 예약 연구부예산+한국어 학급예산
시교육청 및 유관기관 활용	3. 시교육청 인천형 세계시민교육, 인천보훈청, 인천흥사단, 인천너머고려인 문화원 활용한 '**고려인의 뿌리를 찾아서' 프로젝트 진행하면서 매번 활동 후, 체험보고서 작성하기** 인천바로알기: 강화도, 인천개항장 체험 인천너머 고려인 문화원-일제강점기 독립운동의 역사 및 고려인 강제이주 배경 학습 인천보훈청-국내보훈사적지 탐방 인천흥사단- 통일공감여행	시기별로 내려오는 공문에 맞춰 설계

2. 학습도구 한국어 학습

한국어 학급에서 어느 정도 생활 한국어가 되어도 원적 학급에 환급되었을 때도 여전히 수업 시간에 자는 것을 볼 수 있다. 학습도구 한국어 어휘가 절대적인 양으로 모자라는 것을 관찰할 수 있다. 이 문제를 해결해 보고자 학습도구 한국어 학습 전담 교사를 두고 중 1 사회, 과학 교과서에 나오는 기초 용어들을 수업에서 다루었다. 또한 인천대 멘토링 사업을 신청(체육, 도시건축공학, 해양과학, 기계공학)해서 한국어 수업에서 5분~10분 정도 인천대 학생들이 배우고 있는 수업 속의 수업을 넣어서 다양한 어휘들을 접할 수 있도록 하였다. 학생들이 가장 흥미를 느꼈던 수업은 미니 교실 체육수업이었고, 간단한 규칙을 설명한 뒤 하는 몸을 움직이면서 하는 협력 활동 수업이었는데, 아이들이 너무나 좋아해 주어서 인상적이었다. 여름 방학에는 경인교대의 찾아가는 예비교원 학습 튜터링 프로그램을 활용하여 7명의 학생들이 학습도구 한국어 수업을 받기도 했다. 그 외 과학과 IT 관련 수업은 교육청 산하 기관을 활용하여 학습도구 한국어 수업을 구성하였다.

담당교사	수업 영역	비고
학습도구한국어 전담 교사	중1 사회, 과학 교과서 중심 기초 용어 설명	
인천대 멘토링 사업-대학생	한국어 수업 속의 5분 수업 (체육, 도시건축공학, 해양과학, 기계공학)	미니교실 체육이 가장 호응도가 높음 1,2학기
경인교대 찾아가는 예비교원 학습 튜터링	초등교육 과정에서 결손된 학습을 국어, 수학, 영어, 과학, 사회 교과에서 보충	여름방학 활용
교육과학 정보원	액체질소로 과학하자, 렌즈와 카메라의 원리	비다문화 학생 포함 수업 11월
인천SW교육 지원센터	가상현실과 증강현실, 휴머노이드 알파미니와 함께하는 세계시민교육	11월말~12월초 2회

3. 정서지원 프로그램 운영

학기 초에 인하대 다문화융합연구소 연구원님과 1학년 학생들 모두를 상담하는 기회가 있었다. 이를 통해 정서 지원 프로그램이 꼭 필요하다는 인식을 가지고 있었고 당장 상담이 필요한 학생들은 위클래스와 함께하는 상담을 바로 할 수 있도록 조치했다. 동시에 회복탄력성 프로그램을 통해 '자기 존중과 타인존중'을 주제로 운영하였는데 완전 실패였다. 한국어가 자유롭지 않은 상태에서 내용 전달이 안 돼서 전혀 성과를 거둘 수 없었다. 2학기에 동부 위클래스에서 다문화 학생들을 위한 프로그램을 운영해 보자 제안해 주셔서 연극놀이 치료수업이 필요하다고 말씀을 드렸다. 그 결과 2학기에는 한국어가 가장 미숙한 학생들을 대상으로, 연극놀이 치료 수업을 진행하였다. 자신의 이야기를 끌어내고 편안하게 이야기를 유도하는 수업이 학생들의 치유에 큰 도움을 얻고 있다.

월별	정서지원 프로그램명	비고
3월	인하대 다문화융합연구소	개별 상담 후 정서상태 확인
4월~6월	회복탄력성-자기존중, 타인존중	대실패
7월	고려인 진로교육 - 특성화고 교사 진학특강	현직 간호사
9월~12월	연극치료프로그램	동부 Wee클래스 지원
10월	세계 속에서 인천 시민으로 살아가기	인하대 다문화융합연구소 연구원
11월	동아시아국제교육원 - 진로연계어울림 프로그램	소그룹 진로토크쇼
12월	인천너머고려인문화원 - 고려인으로 살아가기	진로강연

4. 부서 간 연계활동

한국어학급 운영은 자칫하면 완전히 외로운 섬이 될 수 있다. 그렇게 되지 않도록 부서 간 연계 활동을 확대하고 또한 다문화-비다문화 학생이 함께하는 프로그램을 만들어서 학교 전체가 함께 참여하거나 적어도 한국어 학급에서 무슨 활동을 하고 있는지 정보를 공유하려고 노력하였다.

연구부 연계 마을에서 배우Go	학생부 연계	교무부 연계
-서점 둘러보기 -마을엔 : 목공, 요리, 바리스타, 가드닝 수업 -우즈베키스탄 국제교류 학생참여 수업 운영	-우즈베키스탄 국제교류 학생 방문 시 학생회 담당업무 (학교소개, 학교투어, K-급식, 한국음식문화 체험) -학생회에 다문화 학생들 참여 기회 제공 (다문화 관련 부서 개설 협의회) -인성교육 연계 학교폭력 예방교육 (마술쇼)	-학사일정 조정 (동아리시간) ->진로비전캠프 전학년 연극관람 부평아트센터 '크리스마스 캐롤'

그 외에도 다문화-비다문화 학생이 함께하는 프로그램 운영을 통해 학교 전체가 협력하고 우호적인 상호 문화 존중의 태도를 키우는 시간을 갖도록 유도해 보았다. 예를 들어 한-러 문화교류 캠프, 문화다양성 프로그램 고궁 체험, 베이킹(1:1 결연) 동아리 운영, 인천바로알기 동아리 다다르고(1:1 결연), 세계시민교육의 인천바로알기 (강화도, 인천개항장) 활동은 모두 다문화-비다문화 학생들이 함께 참여할 수 있는 프로그램들이다.

Ⅳ 결론

한국어 학급 운영은 정해진 답이 없는 교육활동이다. 학교의 인적 구성원, 물리적 환경, 다문화 학생의 구성 요소 등은 시시각각 변화하기 때문에 교사들은 변화될 준비가 늘 되어 있어야 한다. 어렵고 힘든 일이지만 각각의 점들이 모여 큰 그림이 되듯이 서로 협력하고 학교, 지역사회, 교육청 네트워크를 지속해서 연결하는 작업을 해야 한다. 또한 한국어 수업 플랫폼도 늘 새롭게 깨야 한다고 생각한다.

제4화 우리도 말하고 싶어요.

한국에 살면서 감사했던 순간들

안녕하세요. 담임선생님! 선생님이 제 반 선생님이셔서 정말 기쁘고 비록 자주 만나지는 못하지만 노래 듣는 것과 춤추는 것을 좋아한다는 것을 이미 알고 있습니다! 제가 못하는 건 어렵지 않게 가르쳐주시고 강요하지 않으시고 이해해 주셔서 감사합니다. 2년만 더 우리 반 담임선생님이 되어주셨으면 좋겠어요! 제가 선생님에게 문제가 되지 않았으면 좋겠고 선생님은 저를 좋은 학생으로만 기억해줬으면 좋겠어요.^^
-박나자

한국에서 감사한 순간은 엄마와 함께 한국으로 이사 와서 지금도 친하게 지내는 친구들을 사귄 때입니다. 그리고 이 모든 것을 주신 운명에 정말 감사하고요. 하지만 운명에 의지할 수 없다는 것을 알기 때문에 열심히 공부해서 대학 시험에 합격해서 직장에서 돈을 많이 벌어서 엄마를 부양할 수 있게 되고, 엄마도 저에게 유학의 기회를 주신 것에 대해 저만큼이나 감사해하셨으면 좋겠어요. - 박나자

한국에서의 모든 첫날을 감사하게 생각합니다. 첫날이 왜 감사한 걸까요? 4년 만에 만난 부모님, 과외 갔던 날, 초등학교 첫날도 감사하고,

그 모든 첫날이 감사해요. -사비나

이곳에서 많은 친구들(Ksyusha, Camila, Alan, Masha, Sasha, Artem, Han Sol Min, Vlad, Nastya, Diana, Tolik)을 만나서 감사합니다. 제가 이 학교에서 공부한다는 사실과 저에게 한국어를 가르쳐주시는 선생님들께 감사드립니다. 산책할 수 있게 해주셔서 감사합니다. 아름다운 게 많아요. - 막심

나는 한국에 온 순간부터 한국의 전통과 습관에 대해 많은 것을 배웠습니다. 저도 한국에서 생활하면서 힘들게 성장했지만, 지금은 한국 문화를 많이 이해하게 됐어요.

2022년 새해를 온 가족과 함께 맞이했고 아무 일 없이 12월 31일에 우리는 명절을 따뜻한 집에서 축하하고, 가족과 함께 음식을 요리하고, 재미있게 놀고 농담도 했습니다.

한국에 살면서 나쁜 순간도 있었지만 가장 중요한 것은 침착하고 긍정적으로 받아들이는 것입니다. 가장 행복한 해는 2023년 3월 2일 중학교 때 좋은 친구 두 명을 만났다는 거예요. 정말 고맙고 사랑해요.

저를 이 멋진 나라로 데려와 주신 부모님께 감사드립니다. -서키라

오랜 시간 끈기 있게 우리에게 한국어를 가르쳐 주시고 큰 노력을 쏟은 에브게니야 선생님에게 감사하다는 말을 전하고 싶습니다. 그리고 제 생각에는 가장 어려운 수업을 가르쳐 준 마리나 선생님에게도 감사하다고 말하고 싶습니다. 에브게니야 선생님 덕분입니다. 쌤과 마리나 쌤! 저는 적어도 이 학교에서는 뭔가를 이해하고 있어요. 감사합니다. -서키라

저에게 가장 감사하고 행복한 순간은 가족이 한국으로 이주하여 온 가족이 상봉했을 때입니다. 제가 가진 가장 소중한 것, 가족, 가정의 사랑과 행복에 대해 인생과 부모님에게 너무 감사드립니다. 삼촌이 우리를 한국의 아름다운 곳으로 데려다주고, 서울에 가서 할머니를 만나고, 학교에 가고, 친구들을 만나는 등 한국에서 행복했던 순간들을 모두 기억합니다. 모든 시험에 합격하고, 좋은 직장을 얻고, 많은 돈을 벌어 가족을 부양할 수 있다면 행복할 것입니다. -비올레타

저에게 준 도움과 지식에 대해 모든 선생님에게 매우 감사하고, 우리에게는 가장 친절하고 달콤하고 영리한 선생님들이 있으며, 모든 선생님은 올바른 지식과 좋은 조언을 해주셨습니다. 모든 선생님은 제가 존경하고 사랑하는 선생님입니다. 정말 감사합니다:) -비올레타

우리는 1학기에 북한 국경을 보러 강화도에 갔습니다. 여름방학이 시작되기 전이었는데 정말 놀라웠어요.

우리는 외국인이니까 한국의 국경을 직접 볼 수 없을 것 같아서 정말 감사했습니다. 우리가 도착했을 때 나는 이것이 섬에 있다는 것에 매우 감사했습니다.

국경을 보기 위해 몇 시간 동안 기사님께서 운전하셨고, 그 시간에 친구들은 모두 자고 있었지만, 저는 기사님께서 운전하는 모습을 촬영했습니다. 강화도에 도착했을 때는 정말 감동적이었습니다. 러시아어 친구들 전원과 한국인들과 함께 갔습니다. 정말 즐거웠고 보통은 아니지만 이것에 매우 감사합니다. -최다리아

기억에 남는 순간

에버랜드에서 좋은 시간을 보냈습니다.

1년 전에 우리는 에버랜드에 갔습니다. 친구들과 함께 놀이기구도 타고 맛있는 음식도 먹었습니다. 우리는 행복한 시간을 보냈고 이번 여행 이후 우리의 우정은 매우 강해졌고 서로를 훨씬 더 잘 알게 되었습니다. 아직도 우리는 좋은 우정을 간직하고 있고 그날 이후 더욱 친해져서 에버랜드에 갔던 일은 우리의 좋은 추억이 되었습니다. -사비나

"안돼! 내 햄버거!"

친구와 놀이공원에 갔을 때 우리는 즐거웠습니다. 점심시간에 우리는 맥도날드에 가서 햄버거 2개를 주문했습니다. 우리가 햄버거를 먹기 시작했을 때 친구의 햄버거가 무너졌습니다. 친구가 화를 내는 동안 나는 웃었습니다. 나는 친구에게 내 햄버거를 주고 그 친구의 햄버거는 내가 가져와 먹었습니다. 결국 우리는 서로 웃으며 즐거운 시간을 보냈습니다. -최다리아

나에게 중요한 사람

1년 전에 저는 그 친구 처음으로 만났어요. 그 친구는 활발하고, 감정 표현을 잘하는 친구이며 어려운 문제도 잘 해결하고 내가 돈이 없을 때 돈도 빌려주는 친구여서 우리는 자주 만났어요. 그리고 그녀는 스포츠를 좋아했어요. 스포츠를 좋아하는 것 때문에 인상 깊은 일이 있었는데, 우리는 일찍 일어나서 가천대학교에서 만났어요. 사람들이 별로 없는 새벽 시간이어서 조용했어요. 달리기도 하고, 운동도 하고 이야기도 했는데

아주 행복했어요. 지금은 만나지 않는 친구이지만 아직도 좋은 추억으로 남아 있어요. -박나자

얘들아 원하는 책 읽어보자

빨간 모자

빨간 모자는 어리석어서 늑대와 할머니를 구분하지 못하지만, 할머니와 늑대는 서로 다릅니다. 엄마는 저에게 낯선 사람을 믿지 말라고 가르칩니다. 저는 낯선 사람을 믿지 않아요. -사비나

윌리는 드림머

"He dreams of the past.. and, sometimes, the future"라는 문구가 마음에 들었어요. 아예 과거로 가면 아기가 되어 무한한 사랑을 부모님에게서 받을 수 있고 인생에 대해 고민도 없을 테니까요. 또는 미래로 가고 싶어요. 지금은 밤 10시만 되면 휴대폰을 사용할 수 없어요. 부모님이 모든 것을 통제하니까요. 얼른 어른이 되어서 부모님으로부터 독립을 하고 모든 선택을 제가 결정하고 싶어요. -최다리아

얼음왕국

“She threw herself in front of ELsa, just in time to block a blow from Han's sword.” 이 문장이 마음에 들었어요. 안나는 자신에게 상처를 준 엘사를 구하기 위해 자신은 전혀 생각하지 않고 칼을 막아서기 위해 달려갔습니다. 나는 그녀가 존경받을 가치가 있다고 생각합니다. 저도 가끔은 저에게 상처를 준 친구에게도 친절합니다. 그러면 저는 더 나은 사람이 될 수 있기 때문입니다. -박나자

윌리는 드림머

오늘 저는 선생님이 추천한 책을 읽었어요. 책 제목은 윌리는 꿈꾸는 원숭이입니다. 윌리는 꿈을 너무 많이 꾸지만 저는 하나가 제일 좋았어요. 꿈속에서 윌리는 못 걷는데 날 수는 있었어요. 윌리는 어떻게 하면 발로 도망갈 수 있을까 계속 고민하다가 날아갈 수 있겠다는 생각이 들자마자 바로 날아갈 수 있었어요. 할 수 없다는 사실, 아직 시도하지 않은 것이 무엇인지 생각해야 하며 바로 행동할 때 이것이 성공으로 끝날 수도 있다는 생각이 들었어요. 제가 한국어를 못 배운다고 생각하지 말고 최선을 다하자, 그럼 나는 한국어를 배울 수 있다고 생각을 바꿨어요. 이 책을 비록 내용은 적지만 그림에는 많이 의미가 담겨있어 매우 유익하다고 생각해요. -박나자

헨젤과 그레텔

가난한 나무꾼 집에 마음씨 착한 남매가 살았어요. 오빠는 헨젤, 동생은 그레텔 그리고 새엄마와 그리고 아빠가 함께 살았어요. 그런데 새엄마는 애들을 미워해서 날마다 힘든 일만 시켰어요. 집에 먹는 것 많이 없어서 새엄마가 애들을 숲속에 버리고 싶었어요. 어느 날에 새엄마가 아이들과 함께 집 밖으로 나와서 애들을 숲속에 버렸어요. 그런데 아이들은 집을 다시 찾았어요. 집으로 달려가자, 아빠가 한달음에 뛰어나왔어요. 그 사이에 새엄마는 어디론가 도망가 버렸대요. 아이들과 아빠는 서로 아껴 주면서 행복하게 살았어요.

이 이야기는 다른 사람에게 악을 주면 악이 자신에게 돌아온다는 것을 보여주는 좋은 예입니다. -안겔리나

아기 돼지 삼형제

선생님께서 꼭 한번 읽어보라고 추천해 주셔서 아기 돼지 삼형제를 읽어보았다. 동화 <아기 돼지 삼 형제>에서 두 형제는 부서지기 쉬운 재료로 집을 만들었고 셋째 형제는 벽돌로 집을 지었습니다. 중요한 점은 형제들이 서로 도와야 한다는 것입니다.

누군가가 나를 도와주면 기분이 좋았어요. 나도 누군가를 도와주어서 행복하게 해주고 싶어요. -남막심

10원으로 뭐하지

길거리에 10원이 있었어요. 모두가 동전 옆을 지나갔습니다. 그녀는 오랫동안 혼자 거리에 누워서 자신이 쓸모없다고 생각했습니다. 어느 날 한 소녀가 그녀를 발견했습니다. 그리고 그녀는 그것을 집으로 가져가서 돼지 저금통에 넣었습니다. 돼지 저금통에서 그녀는 다른 동전들을 알게 되었습니다. 잠시 후 소녀는 돼지 저금통을 열어 단 10원만 가져갔습니다. 소녀는 동전을 자선기금 모금 상자로 가져갔고, 이 기금은 어린이들을 위한 미끄럼틀을 위한 돈을 모았습니다. 코인은 마침내 누군가를 기쁘게 할 수 있게 되어 매우 기뻤습니다. 나는 이 이야기가 세상에 쓸모없는 사람은 없으며 모든 사람이 제 일에서 장소에서 유용하다는 것을 명확하고 명확하게 전달한다고 생각합니다. -안겔리나

13살의 내가 23살의 나에게 보내는 편지

23살의 사비나에게

대학을 졸업하고 회사에 다니고 있고 아파트에 혼자 살고 있어서 편할 거 같아. 그리고 아직도 비올레타랑 만나고 있지? 새로운 친구도 만나고

새로운 목공 취미도 생겼다니 축하해. 그리고 한국어 실력이 많이 향상된 걸 가장 많이 축하해. -사비나

23살의 다리아에게

안녕 다리아. 이 편지가 10년 동안 이어졌으니 23살에 읽고 있겠네? 대학을 졸업했다니 정말 축하해. 지금 13살의 다리아보다 훨씬 그림을 잘 그리고 채널도 운영하면서 구독자가 엄청 많네요. 동시에 가수도 꿈꾸고 있구나? 와~ 23살의 다리아가 너무 부러워요! 그런데 아직 남자친구는 못 찾았구나? 빨리 찾아봐. 너는 정말 멋져. 그럼 잘 지내 안녕~
-13살의 다리아가

체험활동을 다녀와서 어땠어?

5월 23일 한국어 학급 친구들과 음식만들기 체험활동을 했어요. 마을엔에서 친절한 선생님께서 떡볶이를 만드는 데 필요한 준비물을 가지고 오셨어요. 준비물은 파, 쇠고기, 양파, 양념이 있었어요. 선생님께 인사를 드리고 무엇을 할 것인지, 어떻게 할 것인지 듣고 나서 떡볶이를 준비하기 시작했습니다. 모두들 야채를 가져다가 선생님 말씀대로 자르고, 다 자른 재료를 떡과 볶아서 자리에서 기다렸습니다. 하지만 우리는 떡볶이만 만든 것이 아니어서 조금 있다가 호두파이도 만들었어요. 음식이 완성된 후에는 우리는 떡볶이와 호두파이를 먹었어요. 다 먹고나서 집에 갔어요.

너무 재미있고 맛있었어요. 또 가고 싶어요. 하지만 수업을 방해한 친구들도 있었어요. 그래도 행복했어요. 우리를 위해 마을엔 체험학습을 준비해 주신 선생님들께 감사드립니다. -박나자

9월 22일 금요일에 한국어 학급 친구들과 인천역에 갔어요. 인천역에서 선생님들과 친구들을 만났어요. 인천개항장을 방문했어요. 인천개항박물관에서 해설사 선생님의 이야기를 들었고 제물포 구락구 건물도 봤어요. 대불호텔에서 우리는 오래된 접시를 봤어요. 오후에는 당근머핀 만들기 체험장에 갔어요. 당근 머핀을 만들고 빵 위에 초콜릿 장식을 했어요. 많은 전시물도 보고 요리도 해보고 역사도 배웠어요. -사비나

9월 22일에 우리는 인천역에서 다 같이 모였어요. 해설사 선생님께서 인천개항장 이야기를 해주셨어요. 우리는 대불호텔에서 역사를 만들고 근대건축 모형도 만들어서 집에 가져갔어요. 오후에는 머핀 만들기 체험장에서 머핀 만들기를 배우고 선생님 질문에 대답해서 머핀을 하나 더 얻었어요. 집에 왔을 때 인천개항장에서 봤던 다양한 집들이 생각났어요. 저는 대불호텔, 제물포구락부, 머핀만들기 체험장을 통해 한국문화를 더 깊게 알게 되어 행복했어요. -최다리아

나는 세상에 대한 새로운 것을 배우는 것을 좋아하고 새로운 장소를 방문하고 산책하는 것을 좋아합니다. 이번 9월 22일에 인천개항박물관에 가서 친구들과 시간을 보내는 것이 흥미로웠고 우리는 맛있는 머핀도 만들었습니다. 이번 여행에 기회를 주신 선생님들께 감사드립니다.
-비올레타

한국어 학급 친구들과 인천역으로 갔습니다. 인천개항박물관을 둘러보면서 매우 흥미로웠습니다. 옛날 사람들이 여행하던 최초의 기차도 보았습니다. 그리고 대불호텔에 가서 건축물 모형을 만들었습니다. 우리는 점심으로 햄버거를 먹고 오후에는 당근 머핀을 만들었는데 아주 맛있었습니다. 이렇게 멋지고 흥미로운 여행을 하게 해주신 한국어 학급 선생님께 감사드립니다. -막심

보훈사적지 탐방

10월 11일에 한국어 반 함께 체험학습을 했어요. 첫 번째, 우리는 백범김구 기념관에 갔어요. 기념관에서 나라를 지키기 위해 애쓰신 독립운동가들의 역사를 배웠고 김구 선생님의 역사와 그분의 가족들도 뭘 하셨는지 배웠어요. 끝나고 우리는 서대문 형무소에 갔어요. 서대문 형무소에서 독립운동한 사람을 어떻게 벌했는지 보여주셨어요. 근처 벤치에서 밥을 먹었고 황어장터에서 삼일만세운동 기념비 앞에서 사진을 찍었고 박물관에 갔어요. 그런 다음 부평여자중학교에 갔어요. 부평여자중학교에 김구 선생님의 동상이 있었어요. 동상 앞에서 사진을 찍었고 학교로 돌아왔어요.

체험학습에서 나라를 지키기 위해서 애쓰신 독립운동가들의 역사도, 김구 선생님의 전기도 서대문 형무소가 어떤 모습인지도 배웠어요. 많은 새로운 것을 배웠고 친구들과 시간을 잘 보내서 너무 좋았어요.
-안겔리나

우리는 10월 11일에 한국어 학급에서 체험학습을 갔어요. 백범 김구 기념관에서 우리는 김구 선생님의 전 생애를 담은 삽화와 함께 김구의 이야기를 들었습니다. 그 후 서대문 형무소에 갔습니다. 감옥을 둘러보

면서 그 시대의 이야기가 저에게 많이 전해졌습니다. 조각상과 여러 방을 보는 것은 무섭기도 하고 흥미로웠습니다. 박물관을 나와서 선생님들이 주신 김밥은 먹기 위해 공원 벤치로 갔습니다.

식사가 끝나자마자 우리는 그 당시 독립운동 집회가 있었던 황어장터로 갔습니다. 그리고 여자중학교로 가서 김구 동상과 함께 사진을 찍었습니다. 감옥이 정말 인상적이었고, 작은 방을 보면서 옛날에 실제로 사람들이 앉아 있었다는 사실을 깨닫고 숨이 막혔어요. 그리고 김구의 무덤이 백범 김구 기념관 바로 옆에 있다는 것도 매우 놀랐어요. -박나자

한국어 학급 친구들 그리고 한국 친구들과 같이 서울에 가봤어요. 백범 김구 기념관에서 김구 선생님이 누군지 알아냈어요. 김구는 전 대한민국 임시정부 의장입니다. 일본으로부터 독립운동을 한 유명한 인물 중 한 사람입니다. 그 전 이름은 김창암, 김창수입니다. 서대문 형무소에서 유관순 열사에 대해 배웠어요. 한국 독립운동의 유명한 인물 중 한 분입니다. 느낌은 너무 좋았어요. 감동했어요! -사비나

추석 연휴는 어떻게 보낸거야?

추석 때 엄마는 교회 캠프에 사흘 동안 가셨기 때문에 저는 엄마의 옷가게에서 엄마 대신 일했어요. 저는 심심해서 1학년 니카, 3학년 니카, 알란 그리고 산드라를 가게로 불렀어요. 친구들이 저를 도와주었어요. 옷도 많이 팔았고 근처 식당에서 펠리메니(러시아 만두)도 먹었어요. 옷도 많이 팔았고 맛있는 음식도 먹었고 친구랑 시간도 잘 보내서 기분이 너무 좋았어요. -안겔리나

추석에 이모, 이모부 그리고 사촌 여동생이 전라도 광주에서 왔어요. 우리는 그들과 함께 한식 카페에서 갔어요. 여러 한국 음식을 먹었는데 기억에 남는 음식은 김치찌개예요. 맛은 매웠지만 너무 맛있었어요. 다음 날에 친구들과 소풍을 갔어요. 문화공원 벤치에 앉아서 맛있는 음식을 먹으면서 수다를 떨었어요. 너무 재미있는 시간이었어요. -사비나

추석 연휴에 예바랑 문남공원 갔어요. 조금 놀다가 떡볶이집에 갔어요. 컵 감자 2개를 사서 먹었어요. 그런데 친구의 컵 감자도 빼앗아서 먹었어요. 그러자 예바는 "안돼 내 감자!! 죽여버릴 거야!!" 라고 외치며 나를 쫓아 오기 시작했어요. 잡히자 나는 예바에게 내 컵감자를 주었고 우리는 서로를 보면서 웃었어요. 조금 놀다가 서로 손을 맞잡고 집으로 돌아갔어요. 집에 돌아와 친구가 전화했을 때 우리는 밤이 될 때까지 온라인 게임을 했어요. 친구하고 하루 종일 공원에도 가고 맛있는 음식도 먹고 너무 재미있었어요. -최다리아

추석에 엄마의 사촌 오빠가 우리 집을 방문했어요. 이모, 이모부, 엄마, 삼촌 그리고 저는 Melody 러시아 식당에 갔어요. 그곳에서 한참 이야기하고 러시아 전통음식인 샤스르익을 먹고 나서 우리는 집에 왔어요. 다음날에 이모, 이모부, 엄마 그리고 저는 쿠우쿠우에 갔어요. 그곳에서 스시를 먹고 나서 스퀘어원에 갔어요. 스퀘어원에서 엄마는 저에게 바지랑 운동화를 사주셨어요. 다음에 우리는 이모, 이모부 집에 갔어요. 이모 집에서 전을 만들고 맛있게 먹었어요. 이번 추석 기간 중에 Melody에서 먹은 샤스르익이 제일 맛있었고, 쿠우쿠우에 갔을 때는 배가 불러서 많이 못 먹었어요. 다음에는 쿠우쿠우보다 Melody를 갈 거예요. -박나자

교회에서 다 같이 추석에 (9/28-30) 캠프를 갔어요. 저, 친구, 교회 선생님 우리는 4개 버스를 탔어요. 가는 길에 휴게소에서 쉬었어요. 캠프 장소에 도착한 후 우리는 러시아 음식 라그만을 먹었어요. 너무 맛있어요. 다음에는 퀘스트 게임을 했어요. 그러고 나서 배구와 피구도 했어요. 저는 게임을 하면서 '팀워크'가 중요하다는 것을 알게 되었어요. '화이팅' 하면서 서로를 격려하니 게임을 잘할 수 있었거든요. 다 같이 팀을 이뤄서 여러 가지 게임을 하니 신나고 재밌고 즐겁고 기운이 났어요. 돌아오는 휴게소에서 회오리 감자를 사 먹었는데 맛있었어요.
-남막심

하루 일과 정리 해보자

안겔리나

7;00-일어나요.

7;00~7;40-학교 갈 준비해요.

7;40-아침 식사 먹어요.

8;50까지-학교에 와요.

8;50~3;00-수업 공부해요.

3;30까지-집에 와요.

3;30-식사해요.

4;00~9;00-학원에서 공부해요.

월,수:그래픽 디자인, 영어.

화,목:태권도, 한국어 토:태권도

일: 엄마가게에서 일해요.

9;30-집에 와요.

10;00-저녁 식사 먹어요.

11;00- 잠잘 준비 해요.

12;00- 자요.

저에게 가장 행복한 시간은 공부하는 모든 순간입니다. 새로운 것을 배울 때마다 저는 세상이 넓어져요.

우즈베키스탄 학생들과의 국제교류 활동

10월 20일 금요일에 우즈베키스탄 학생들이 우리 학교에 왔어요. 간단히 러시아어로 인사하고 친구들의 짐을 운반하는 것을 도왔습니다. 다들 영어나 한국어로 자기소개를 했어요. 점심시간에 학교 식당으로 급식을 먹으러 갔어요. 그들은 물고기 안 좋아했습니다. 나도 안 좋았어요. 3시에 우리는 K-POP 댄스를 같이했는데 재미있었어요. 같이 수업했기 때문에 수업이 늦게 끝났어요. 우즈베키스탄 친구들이 한국어와 영어를 잘 아는 게 정말 멋있어요. -최다리아

10월 20일 금요일에 우즈베키스탄 학생들이 우리 학교에 왔어요. 우즈베키스탄 학생들은 한국어 배우고 한국의 문화, 음식도, 교육도 배우고 싶어서 우리 학교에 왔어요. 연수중학교에서 우즈베키스탄 학생들이 교실에서 국어수업도 함께 하고, 급식도 먹고, 학교 투어도 하고, K-pop 댄스도 배웠어요. 저는 우즈베키스탄 학생들과 직접 이야기를 나누어 보니까 너무 신기하고 즐거웠어요. 우즈베키스탄 부하라 19 학교 이야기도 듣고 자기소개도 해서 너무 재미있었어요. -안겔리나

우즈베키스탄 학생들이 한국의 문화, 음식, 언어, 교육, 계절 (가을)을 배우려고 10월 20일 10시에 연수중학교에 왔어요. 학교 투어하고, 한국어 학급 소개도 하고 급식도 같이 먹었어요. 우즈베키스탄 친구들이 우리 학교 급식을 먹었는데 맛이 없다고 했어요. 나는 한국 음식이 정말 맛있는데 그 친구들은 아직 한국 음식을 잘 모르는 거예요. -남막심

문화다양성 프로그램으로 2023년 5월에 다문화-비다문화 학생들을 데리고 이태원에 갔다. 조별로 이태원에 흩어져서 친구들 얼굴이 들어간 사진 10장 이상 찍어서 선생님에게 보내는 미션을 주었다. 가장 멋진 사진에 이태원 핫플레이스 음료 쿠폰을 걸었더니, 처음에는 서로 어색해하더니, 금세 너무 열심히 카톡으로 보내오는 사진에 귀엽기도 하고 웃음이 절로 났다. 다문화 학생들이 사진 찍는 것에는 정말 관심이 많았고 친구들의 얼굴을 마주하고 상대를 보면서 사진을 계속 찍어주는 활동에 의미가 있었다. 사회화가 별것이 아니다. 얼굴을 마주하고 쳐다볼 용기가 있으면 친구가 되고 친해지기의 기초 단계가 된다.

아이들과 함께 ‘마을에서 배우 GO’ 프로그램을 진행하면서 마을교육공동체 마을엔에서 목공 체험을 3회 9시간을 진행해 보았다. 한국어를 모르는 친구들은 자신을 표현할 수가 없어서 무기력해 보였는데, 목공수업을 진행하면서 아이들의 다양한 면을 발견할 수 있었다. 과감하고 용감하고 섬세하고 배려심 깊고 협력적이고 다양하게 학생들의 모습이 보였다. 목공수업을 하고 난 후, 직접 만든 책장과 수납 의자로 교실을 만들었더니 학생들이 정말 좋아하고 있다. 이 교실은 학부모 교실도 하고, 학생들에게는 쉼터가 되기도 하고 다양한 수업 장면에서 활용되고 있다.

아이들은 자신의 손길이 들어간 가구들로 된 교실이라서 항상 교실이 예쁘고 좋다고 말한다. 나도 이런 교실에서 함께 공부하게 되어 행복하다.

문화다양성 프로그램의 일환으로 1:1 다문화-비다문화 결연 베이킹 클래스 창의적 체험활동 동아리를 운영하였다. 다문화 학생 중에도 빵 만들기 기술이 꽤 있는 학생들이 있어서 비다문화 학생들에게 큰 인상을 준 시간이기도 했다. 12월 마지막 동아리 시간에 크리스마스 케이크를 만들었는데 아이들이 참 좋아했다. 내년에도 하고 싶다는 학생들이 많아서 인기 있는 동아리 중의 하나였다.

지역도서관과 연계하여 이중언어 창작활동을 만들었다. 지역도서관에서 이중언어가 되는 강사님을 섭외해 주셨다. 도서관에 있는 쉬운 그림동화를 읽고 싶을 때는 학생들을 데리고 여러 번 방문했다. 학생들은 한국어로 된 그림동화를 읽고 의미를 파악한 후 러시아어로 학생들이 번역활동을 했다. 최종적으로 그림책을 만들고 도서관에 기증 활동도 했다.

동시에 12월 말에 도서관 '문학의 밤'에 다문화 학생들이 참석하여 낭독 활동과 독후활동을 발표했다. 돌아오는 길에 지역도서관 선생님께서 지역사회 주민들에게 큰 공명을 주었다고 소감을 말씀해 주셨다.

작가의 말

나는 특별히 고도를 기다리지 않는다. 나를 힘들게만 할 뿐이다. 다만 오늘 나에게 주어진 일에 최선을 다할 뿐이다. 다문화 학생들을 가르치는 일은 함수관계가 아니다. 내가 어떤 교육과정을 투입하면, 어떤 결과가 나온다는 예측이 전혀 안 된다. 복잡한 이주 배경이 있고, 거기에다 가정환경, 개인의 정서적 문제, 모국어의 발달 단계 등 복잡하게 얽힌 실타래를 풀어가는 일과 비슷한 느낌을 받는다. 단순히 한국어 수업의 질을 높이고 잘게 쪼개서 잘 먹여준다고 그대로 받아들여지는 일도 아니다.

완전히 마음을 닫고 있는 학생들과 만날 때면 무엇부터 시작해야 하는지 막막할 때가 있다. 그럴 때는 몸부터 움직이는 일을 한다. 그냥 한 발짝 한 발짝씩 움직이는 단순한 일이다. 그렇다고 변화를 보여주지도 않는다. '정말 못된 놈들' 이런 말이 나올 정도로 힘들게 할 때도 너무 많다. 그래도 나는 아이들을 보면서 느끼는 최종적인 결론은 '아이들에게는 죄가 없다'이다. 아이들이 더욱 사랑받고 보호받는다는 느낌을 받으면서 살아갔으면 좋겠다.

그냥 조금씩 조금씩 사랑하면서 내가 그들이 있는 곳으로 먼저 다가가는 게 맞는 것 같았다. 그래서 수업 시간에 아이들이 단순하게 남겨준 글들을 소중히 모아보았다. '나도 잘할 수 있어요, 나는 괜찮은 사람이에요'라고 외치는 것 같아서 한 권의 책으로 만들어 보고 싶었다.

너무 보잘것없어 보일 수도 있고 한국어로 어색해 보일 수 있지만 그대로 실었다. 그래야만 그들의 소리를 그대로 전달할 수 있을 것 같았다. 그들의 외침이 우리 사회가, 학교가 그들을 포용하고 이해하고 존중하는 밑거름이 되었으면 한다.

2024. 02.